Deinosor Newydd George

RILY

Hoff degan George
ydy Mr Deinosor.

Mae George
yn hoffi sboncio
yn yr ardd, chwarae
yn y bath a mynd
i gysgu gyda
Mr Deinosor.

Amser gwely,
dywedodd Peppa,
"George, dwi'n meddwl
bod Mr Deinosor
wedi torri!"

Roedd George
yn drist iawn.

Daeth Mami a
Dadi Mochyn i
weld pam roedd
George yn crio.

"Waaaaaaa!"
llefodd George.

"George, druan," meddai Dadi Mochyn.
"Efallai ei bod hi'n bryd i ti gael
deinosor newydd."

Y diwrnod wedyn, aeth Peppa, George,
Mami a Dadi Mochyn i siop Mr Llwynog.
"Dwi'n siŵr y down ni o hyd i ddeinosor newydd
i ti, George!" meddai Mami Mochyn.
"Edrych, George!" meddai Dadi Mochyn gan bwyntio
at ffenest y siop. "Dyna i ti glamp o un mawr!"
"Ooo, deino-sô!" meddai George.

"Bore da!"
gwenodd Mr Llwynog. "Sut alla i eich helpu chi?"
"Hoffen ni brynu'r deinosor sydd yn y ffenest,
os gwelwch yn dda," meddai Dadi Mochyn.
"Dewis da!" atebodd Mr Llwynog. "Dyma Deino-Rôr.
Mae'n cerdded, yn siarad ac yn canu!"
"Www!" meddai pawb.
"Deino-RÔR!" meddai George yn gyffrous.
"Fe brynwn ni hwn!" meddai Dadi Mochyn.

Roedd George yn chwarae gyda Deino-Rôr yn yr ardd.
Roedd Deino-Rôr yn canu,
"Deino-Rôr, Deino-Rôr!
Rhuo'n gryf mae Deino-Rôr! Rôôôôôôôôôôr!"
"Bydd yn ofalus, George," meddai Dadi Mochyn.
"Paid â bod yn rhy wyllt neu fe fydd Deino-Rôr yn torri."

Roedd George eisiau chwarae
gyda Deino-Rôr yn y bath.

SBLASH,
SBLASH,

SBLASH!

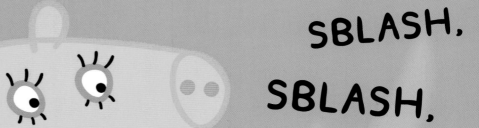

"Deino-RÔR!" meddai George.
"George, bydd Deino-Rôr yn torri os bydd
o'n gwlychu," rhybuddiodd Mami Mochyn.

Roedd Peppa a
George yn cysgu.
Yn sydyn, deffrodd Deino-Rôr!
"RÔR! Deino-Rôr, Deino-Rôr!"
"George!" gwaeddodd Peppa.
"Mae Deino-Rôr wedi
fy neffro i!"

"Rhaid i Deino-Rôr
gysgu yn rhywle arall,"
meddai Dadi Mochyn,
gan fynd â Deino-Rôr
o'r ystafell.

Roedd George yn drist. Doedd o ddim yn gallu chwarae gyda Deino-Rôr yn yr ardd, yn y bath nac yn y gwely.

"Paid â phoeni, George," meddai Mami Mochyn yn llawen.
"Mae Deino-Rôr yn gallu rhuo o hyd."
"Deino-Rôr! Rhu . . . o'n gryf mae Deino-Rôô. . . ôôrr."
Rhoddodd Deino-Rôr y gorau i symud ac i siarad.

"Mae'n rhaid bod y batris wedi darfod,"
meddai Mami Mochyn.

"Yn barod? Sawl batri sydd ynddo fo?" cwynodd Dadi
Mochyn wrth weld batris yn syrthio o gorff Deino-Rôr.
"Cannoedd! Miloedd!" atebodd Peppa gan chwerthin,
wrth eu casglu nhw o'r llawr.

Gwelodd Peppa rywbeth gwyrdd o dan y llwyn.
"Be ydy hwn?" gofynnodd Peppa. "Ai trwmped ydy o?"
"Rwyt ti wedi dod o hyd i gynffon Mr Deinosor,"
meddai Mami Mochyn.
"Gall Dadi Mochyn ei drwsio rŵan."
"Efallai y ca' i ychydig o drafferth,"
meddai Dadi Mochyn yn amheus.

Ond aeth y gynffon yn ôl i'w lle yn iawn.
Roedd Dadi Mochyn wedi trwsio Mr Deinosor.
"Ho ho ho," chwarddodd Dadi Mochyn.
"Helô, Mr Deinosor," meddai Peppa.
"Grrr!" meddai George.

"Hi hi hi!" chwarddodd pawb.
Hoff degan George yn y byd
i gyd ydy Mr Deinosor!

CLIC!